P9-BJV-468

ДЛЯ САМЫХ
МАЛЕНЬКИХ

FICTION SLADKOV
Sladkov, N. 1920-1996.
Bezhal ezhik po dorozhke

Николай Сладков

БЕЖАЛ ЁЖИК ПО ДОРОЖКЕ

СКАЗКИ

Иллюстрации
Бориса Тржемецкого

Москва
«Махаон»
2013

КАК МЕДВЕДЯ ПЕРЕВОРАЧИВАЛИ

Натерпелись птицы и звери от зимы лиха. Что ни день – метель, что ни ночь – мороз. Зиме конца-краю не видно. Разоспался Медведь в берлоге. Забыл, наверное, что пора ему на другой бок перевернуться.

Есть лесная примета: как Медведь перевернётся на другой бок – так солнце повернёт на лето.

Лопнуло у птиц и зверей терпение. Пошли Медведя будить:

– Эй, Медведь, пора! Зима всем надоела! По солнышку мы соскучились. Переворачивайся, переворачивайся, пролежни уж небось?

В ответ ни гугу: не шелохнётся, не ворохнётся. Знай посапывает.

– Эх, долбануть бы его в затылок! – воскликнул Дятел. – Небось бы сразу зашевелился!

– Не-ет, – промычал Лось, – с ним надо почтительно, уважительно. Ау, Михайло Потапыч! Услышь ты нас, слёзно просим и умоляем – перевернись ты, хоть не спеша, на другой бок! Жизнь не мила. Стоим мы, лоси, в осиннике, что коровы в стойле, – шагу в сторону не шагнуть. Снегу-то в лесу по уши! Беда, коли волки нас пронюхают.

Медведь ухом пошевелил, ворчит сквозь зубы:

– А мне какое до вас, лосей, дело! Мне снег только на пользу: и тепло, и спится спокойно.

Тут Белая Куропатка запричитала:

– А не стыдно, Медведь? Все ягоды, все кустики с почками снег закрыл – что нам клевать прикажешь? Ну что тебе стоит на другой бок перевернуться, зиму поторопить? Хоп – и готово!

А Медведь своё:

– Даже смешно! Зима вам надоела, а я с боку на бок переворачивайся! Ну какое мне дело до почек и ягод? У меня под шкурой сала запас.

Белка терпела-терпела – не вытерпела:

– Ах ты, тюфяк мохнатый, перевернуться ему, видишь ли, лень! А ты вот попрыгал бы по веткам мороженым, лапы до крови ободрал бы, как я!.. Переворачивайся, лежебока, до трёх считаю: раз, два, три!

– Четыре, пять, шесть! – насмехается ведь. – Вот напугала! А ну – кыш отседова! Спать мешаете.

Поджали звери хвосты, повесили птицы носы – начали расходиться. А тут из снега Мышка вдруг высунулась да как запищит:

– Такие большие, а испугались? Да разве с ним, куцехвостым, так разговарить надо? Ни по-хорошему, ни по-плохому он не понимает. С ним по-нашенски надобно, по-мышиному. Вы меня попросите – я его мигом переверну!

– Ты? Медведя?! – ахнули звери.

– Одной левой лапкой! – похваляется Мышь.

Юркнула Мышь в берлогу – давай Медведя щекотать. Бегает по нему, коготками царапает, зубками прикусывает. Задёргался Медведь, завизжал поросёнком, ногами задрыгал.

– Ой, не могу! – завывает. – Ой, перевернусь, только не щекочи! О-хо-хо-хо! А-ха-ха-ха!

А пар из берлоги – как дым из трубы. Мышка высунулась и пищит:

– Перевернулся как миленький! Давно бы мне сказали.

Ну а как перевернулся Медведь на другой бок – так сразу солнце повернуло на лето. Что ни день – солнце выше, что ни день – весна ближе. Что ни день – светлей, веселей в лесу!

БЮРО ЛЕСНЫХ УСЛУГ

Нагрянул в лес холодный февраль. На кусты сугробы намёл, деревья инеем опушил. А солнышко хоть и светит, да не греет.

Пригорюнились птицы и звери: как дальше жить?

Хорёк говорит:

– Спасайтесь кто как может!

А Сорока стрекочет:

– Опять всяк сам за себя? Опять поодиночке? Нет чтобы нас сообща против общей беды! И так уж все про нас говорят, что мы в лесу только клюёмся да грызёмся. Даже обидно...

Тут Заяц ввязался:

– Правильно Сорока стрекочет. Один в поле не воин. Предлагаю создать Бюро лесных услуг. Я вот, к примеру, куропаткам помочь могу. Я снег на озимях каждый день до земли разрываю, пусть они после меня там семена и зелень клюют – мне не жалко. Пиши меня, Сорока, в Бюро под номером первым!

– Есть-таки умная голова и в нашем лесу! – обрадовалась Сорока. – Кто следующий?

– Мы следующие! – закричали клесты. – Мы шишки на ёлках шелушим, половину шишек целыми вниз роняем. Пользуйтесь, полёвки и мыши, не жалко!

КЛЕСТЫ
БОБРЫ

«Заяц – копатель, клесты – бросатели», – записала Сорока.

– Кто следующий?

– Нас запиши, – проворчали бобры из своей хатки. – Мы осенью столько осин навалили – на всех хватит. Приходите к нам, лоси, косули, зайцы, сочную осиновую кору да ветки глодать!

И пошло, и пошло!

Дятлы дупла свои предлагают для ночлега, вóроны приглашают на падаль, ворóны свалки показать обещают. Сорока еле записывать успевает.

Притрусил на шум и Волк. Ушами попрядал, глазами позыркал и говорит:

– Запиши и меня в Бюро!

– Тебя, Волка, в Бюро услуг? Что же ты в нём хочешь делать?

– Сторожем буду служить, – отвечает Волк.

– Кого же ты сторожить можешь?

– Всех сторожить могу! Зайцев, лосей и косуль у осинок, куропаток на зеленя́х, бобров в хатках. Я сторож опытный. Овец сторожил в овчарне, кур в курятнике...

– Разбойник ты с лесной дороги, а не сторож! – закричала Сорока. – Проходи, проходимец, мимо! Знаем мы тебя. Это я, Сорока, буду всех в лесу от тебя сторожить: как увижу, так крик подниму! Не тебя, а себя сторожем в Бюро запишу: «Сорока – сторожиха». Что я, хуже других, что ли?

Так вот и живут птицы-звери в лесу. Бывает, конечно, так живут, что только пух да перья летят. Но бывает, и выручают друг друга.

Всякое в лесу бывает.

ЗИМНИЕ ДОЛГИ

Расчирикался Воробей на навозной куче – так и подскакивает! А Ворона-карга как каркнет своим противным голосом:

– Чему, Воробей, возрадовался, чего расчирикался?

– Крылья зудят, Ворона, нос чешется, – отвечает Воробей. – Страсть драться охота! А ты тут не каркай, не порть мне весеннего настроения!

– А вот испорчу! – не отстаёт Ворона. – Как задам вопрос!

– Во напугала!

– И напугаю. Ты крошки зимой на помойке клевал?

– Клевал.

– А зёрна у скотного двора подбирал?

– Подбирал.

– А в птичьей столовой у школы обедал?

– Спасибо ребятам, подкармливали.

– То-то! – надрывается Ворона. – А чем ты за всё это расплачиваться думаешь? Своим чик-чириканьем?

– А я один, что ли, пользовался? – растерялся Воробей. – И Синица там была, и Дятел, и Сорока, и Галка. И ты, Ворона, была...

– Ты других не путай! – хрипит Ворона. – Ты за себя отвечай. Брал в долг – отдавай! Как все порядочные птицы делают.

– Порядочные, может, и делают, – рассердился Воробей.– А вот делаешь ли ты, Ворона?

– Я раньше всех расплачусь! Слышишь, в поле трактор пашет? А я за ним из борозды всяких

корнеедов и корнегрызунов выбираю. А Сорока с Галкой мне помогают. А на нас глядя, и другие птицы стараются.

– Ты тоже за других не ручайся! – упирается Воробей. – Другие, может, и думать забыли.

Но Ворона не унимается:

– А ты слетай да проверь!

Полетел Воробей проверить. Прилетел в сад, там Синица в новой дуплянке живёт.

– Поздравляю с новосельем! – Воробей говорит. – На радостях-то небось и про долги забыла!

– Не забыла, Воробей, что ты! – отвечает Синица. – Меня ребята зимой вкусным сальцем угощали, а я их осенью сладкими яблочками угощу. Сад стерегу от плодожорок и листогрызов.

Делать нечего, полетел Воробей дальше. Прилетел в лес, там Дятел стучит. Увидел Воробья, удивился:

– По какой нужде, Воробей, ко мне в лес прилетел?

– Да вот расчёт с меня требуют, – чирикает Воробей. – А ты, Дятел, как расплачиваешься? Как расплачиваешься?

– Уж так-то стараюсь, – отвечает Дятел. – Лес от древоточцев и короедов оберегаю. Бьюсь с ними не щадя живота! Растолстел даже...

«Ишь ты, – задумался Воробей. – А я думал...»

Вернулся Воробей на навозную кучу и говорит Вороне:

– Твоя, карга, правда! Все за зимние долги отрабатывают. А я что – хуже других? Как начну вот птенцов своих комарами, слепнями да мухами

кормить! Чтобы кровососы эти ребят не кусали! Мигом долги верну!

Сказал так и давай опять на куче навозной подскакивать и чирикать. Пока свободное время есть. Пока воробьята в гнезде не вылупились.

МЕДВЕДЬ И СОЛНЦЕ

Просочилась в берлогу Вода – Медведю штаны промочила.

– Чтоб ты, слякоть, пересохла совсем! – заругался Медведь. – Вот я тебя сейчас!

Испугалась Вода, зажурчала тихим голосом:

– Не я, Медведушко, виновата. Снег во всём виноват. Начал таять, воду пустил. А моё дело водяное – теку под уклон.

– Ах, так это Снег виноват? Вот я его сейчас! – взревел Медведь.

Побелел Снег, испугался. Заскрипел с перепугу:

– Не я виноват, Медведь, Солнце виновато. Так припекло, так прижгло – растаешь тут!

– Ах, так это Солнце мне штаны промочило? – рявкнул Медведь. – Вот я его сейчас!

А что «сейчас»? Солнце ни зубами не схватить, ни лапой не достать. Сияет себе. Снег топит, воду в берлогу гонит. Медведю штаны мочит.

Делать нечего – убрался Медведь из берлоги. Поворчал, поворчал да и покосолапил. Штаны сушить. Весну встречать.

Лесные шорохи

Лиса и Заяц

– Почему это, Заинька, у тебя такие длинные ушки? Почему это, серенький, у тебя такие быстрые ножки?

– А всё потому, Лисонька, что уж очень у тебя шажки тихие да уж очень острые зубки!

Ястреб и Оляпка

– Ну, Оляпка, попадись: сейчас я тебя сцапаю!

– А я, Ястреб, от тебя в полынью нырну.

– А я тебя у полыньи подкараулю!

– А я во вторую полынью выскочу.

– А я у второй подкараулю!

– А я тогда в первую выскочу.

– А я... И долго ты так от полыньи к полынье будешь мотаться?

– Да пока тебе за мной гоняться не надоест!

Сорока и Волк

– Эй, Волк, чего ты хмурый такой?

– От голода.

– И рёбра торчат, выпирают?

– От голода.
– А воешь чего?
– От голода.
– Вот и говори с тобой! Заладил, как сорока: от голода, от голода, от голода! Чего это ты нынче такой неразговорчивый?
– От голода.

Воробей и Синица

– Угадай, Синица, какое у людей самое страшное оружие?
– Ружьё?
– Э-э, не угадала!
– Пушка?
– Опять не угадала!
– Какое же тогда, Воробей?
– Рогатка. Из пушки-то по воробьям не стреляют, а из рогатки – только успевай отскакивать! Я-то уж знаю, я-то стреляный воробей!

Сорока и Заяц

– Вот бы тебе, Заяц, да лисьи зубы!
– Э-э, Сорока, всё равно плохо...
– Вот бы тебе, серый, да волчьи ноги!
– Э-э, Сорока, невелико счастье...

– Вот бы тебе, косой, да рысьи когти!

– Э-э, Сорока, что мне клыки да когти? Душа-то у меня всё равно заячья...

Волк и Сова

– Мы, Сова, с тобой во всём одинаковые: ты серая, и я серый, у тебя когти, и я хищник. Почему же встречают нас люди по-разному? Тебя хвалят-расхваливают, меня клянут-проклинают.

– А ты, Волк, что ешь-то?

– Да всё больше жирных барашков, да козлят, да телят...

– Ну вот видишь! А я всё мышей вредных. Похожи мы с тобой по одёжке, да разные по делам!

Ласка, Белочка и Медведь

– Я, Ласочка, к зиме беленькой стала – как берёзка!

– А я, Белочка, серенькой – как осинка!

– Ну а я, Медведище, как ёлочки: зимой и летом одним цветом!

Дятел и Тетерев

– Здравствуй, Тетерев! Со вчерашнего дня не виделись. Где летал, где спал?

– Летал я «над», спал «под».

– Что это за ребус такой: то «над», то «под»?

– Это не ребус, а снег. Летал над снегом, ночевал под снегом.

– Ишь какая у тебя жизнь развесёлая. А я, горемыка, всё «в» да «в». Летаю в лесу, прыгаю в ёлках, ночую в дупле. Ску-учно!

ДВОЕ НА ОДНОМ БРЕВНЕ

Вышла речка из берегов, разлилась вода морем. Застряли на островке Лисица и Заяц. Мечется Заяц по островку, приговаривает:

– Впереди вода, позади Лиса – вот положение!

А Лиса Зайцу кричит:

– Сигай, Заяц, ко мне на бревно – не тонуть же тебе!

Островок под воду уходит. Прыгнул Заяц к Лисе на бревно – поплыли вдвоём по реке. Увидела их Сорока и стрекотнула:

– Интересненько, интересненько... Лиса и Заяц на одном бревне – что-то из этого выйдет!

Плывут Лиса и Заяц. Сорока с дерева на дерево по берегу перелетает. Вот Заяц и говорит:

– Помню, до наводнения, когда я в лесу жил, страсть я любил ивовые ветки огладывать! До того вкусные, до того сочные...

– А по мне, – вздыхает Лиса, – нет ничего слаще мышек-полёвок. Не поверишь, Заяц, целиком их глотала, даже косточки не выплёвывала!

– Ага! – насторожилась Сорока. – Начинается!..

Подлетела к бревну, на сучок села и говорит:

– Нет на бревне вкусных мышек. Придётся тебе, Лиса, Зайца съесть!

Кинулась голодная Лисица на Зайца, но бревно окунулось краем – Лиса скорей на своё место. Закричала на Сороку сердито:

– Ох и вредная же ты птица! Ни в лесу, ни на воде от тебя нет покоя. Так и цепляешься, как репей на хвост!

А Сорока как ни в чём не бывало:

– Теперь, Заяц, твоя очередь нападать. Где это видано, чтобы Лиса с Зайцем ужились? Толкай её в воду, я помогу!

Зажмурил Заяц глаза, бросился на Лису, но качнулось бревно – Заяц назад скорей. И кричит на Сороку:

– Что за вредная птица! Погубить нас хочет. Нарочно друг на друга науськивает!

Плывёт бревно по реке, Заяц с Лисой на бревне думают.

ЗВАНЫЙ ГОСТЬ

Увидела Сорока Зайца – ахнула:

– Не у Лисы ли в зубах побывал, косой? Мокрый, драный, запуганный!

– Если бы у Лисы! – захныкал Заяц. – А то в гостях гостевал, да не простым гостем был, а званым...

Сорока так и зашлась:

– Скорей расскажи, голубчик! Страх склоки люблю! Позвали, значит, тебя в гости, а сами...

– Позвали меня на день рождения, – заговорил Заяц. – Сейчас в лесу, сама знаешь, что ни день – то день рождения. Я мужик смирный, меня все приглашают. Вот на днях соседка Зайчиха и позвала. Прискакал я к ней. Нарочно не ел: на угощение надеялся.

А она мне вместо угощения зайчат своих под нос суёт: хвастается.

Эка невидаль – зайчата! Но я мужик смирный, говорю вежливо: «Ишь какие колобки лопоухие!» Что тут началось! «Ты, – кричит, – окосел? Стройненьких да грациозненьких зайчат моих колобками обзываешь? Вот и приглашай таких чурбанов в гости – слова умного не услышишь!»

Только от Зайчихи я убрался – Барсучиха зовёт. Прибегаю – лежат все у норы вверх животами, греются. Что твои поросята: тюфяки тюфяками! Барсучиха спрашивает: «Ну как детишки мои, нравятся ли?» Открыл я рот, чтобы правду сказать, да

вспомнил Зайчиху и пробубнил. «Стройненькие, – говорю, – какие они у тебя да грациозненькие!» – «Какие, какие? – ощетинилась Барсучиха. – Сам ты, кощей, стройненький да грациозненький! И отец твой и мать стройненькие, и бабка с дедом твои грациозненькие! Весь ваш поганый заячий род костлявый! Его в гости зовут, а он насмехается! Да за это я тебя не угощать стану – я тебя самого съем! Не слушайте его, мои красавчики, мои тюфячки подслеповатенькие...»

Еле ноги от Барсучихи унёс. Слышу – белка с ёлки кричит: «А моих душечек ненаглядных ты видел?»

«Потом как-нибудь! – отвечаю. – У меня, Белка, и без того в глазах что-то двоится...»

А Белка не отстаёт: «Может, ты, Заяц, и смотреть-то на них не хочешь. Так и скажи!»

«Что ты, – успокаиваю, – Белка! И рад бы я, да снизу-то мне их в гнезде-гайне не видно! А на ёлку к ним не залезть».

«Так ты что, Фома неверующий, слову моему не веришь? – распушила хвост Белка. – А ну отвечай, какие мои бельчата?»

«Всякие, – отвечаю, – такие и этакие!»

Белка пуще прежнего сердится:

«Ты, косой, не юли! Ты всё по правде выкладывай, а то как начну уши драть!»

«Умные они у тебя и разумные!»

«Сама знаю».

«Самые в лесу красивые-раскрасивые!»

«Всем известно».

«Послушные-распослушные!»

«Ну, ну?!» – не унимается Белка.

«Самые-всякие, такие-разэтакие...»

«Такие-разэтакие?.. Ну держись, косой!»

Да как кинется! Взмокреешь тут. Дух, Сорока, до сих пор не переведу. От голода чуть живой. И оскорблён, и побит.

– Бедный, бедный ты, Заяц! – пожалела Сорока. – На каких уродиков тебе пришлось смотреть: зайчата, барсучата, бельчата – тьфу! Тебе бы сразу ко мне в гости прийти – вот бы на сорочаток-душечек моих налюбовался! Может, завернёшь по пути? Тут рядом совсем.

Вздрогнул Заяц от слов таких да как даст стрекача!

Звали потом его в гости ещё лоси, косули, выдры, лисицы, но Заяц к ним ни ногой!

КОМУ ПОМОЧЬ?

День и ночь Кукушка в лесу кукует:

– Ку-ку! Ку-ку! Кому помочь? Кому помочь?

Только и слышно:

– Мне, Кукушечка, помоги, мне!

– Не все сразу! Не все сразу! – отвечает Кукушка. – По очереди! По очереди! Вот тебе, Дрозд, какая от меня помощь нужна?

– Ой, нужна, Кукушечка, уж как нужна! Первое моё гнёздышко разорили, второе тороплюсь кончить: стебельки-травинки нужны, глина нужна. Помогла бы?

– Ты, Дрозд, в своём уме? – удивилась Кукушка. – Я и своего-то гнезда не вью, охота ли мне с твоим возиться? Да и работа грязная: глину меси, глину носи, стебельки пыльные собирай. Уж ты как-нибудь сам справляйся. Ку-ку! Ку-ку! Кому помочь? Кому помочь?

– Мне, Кукушечка, мне помоги, Иволге. День и ночь на яичках в гнезде сижу, ножки, крылышки затекли – ни попить, ни поесть. Подмени хоть на минутку!

– Что ты, Иволга, что ты! Я и своих-то яичек никогда не высиживаю – охота ли мне на чужих маяться. Подкинь ты их в чужое гнездо, да и порхай без забот! Ку-ку! Ку-ку! Кому помочь? Кому помочь?

– Мне, Кукушечка, помоги, – запищала Синица. – Дюжина синичат в дупле ждёт. Да у каждого аппетит за двоих. Шестьсот раз в день их кормлю.

– Только этого мне ещё не хватало! – рассердилась Кукушка. – Я и своих-то кукушат никогда не кормила.

Услыхал её Лесной конёк, подлетел и спрашивает:

– А мне, Кукушка, помочь сможешь?

– Помогу, коли захочу! – отвечает Кукушка. – Что у тебя за работа? Тоже небось меси да носи, лови да корми?

– Я, Кукушка, песни пою. Песни мне петь помоги, – говорит Конёк. – От зари до зари пою. Аж в ушах звон!

– Вот это просьба так просьба! – обрадовалась Кукушка. – Вот это по мне! А то заладили: принеси, посиди, покорми – слушать противно! Сами носите-кормите! А я Лесному коньку песни буду помогать петь. От зари до зари. День и ночь. Ку-ку! Ку-ку! Ку-ку!

ЛЕЖАЧИЙ КАМЕНЬ

Летела летом над поляной Иволга золотая, увидала Камень лежачий, свистнула:

– Глупый ты, Камень! Всю жизнь на одном месте лежишь, ничего-то не видишь и не знаешь. А я на далёком Юге была, много чудес видела!

Промолчал Камень.

Пролетал зимой над поляной Свиристель хохлатый, увидел Камень полузасыпанный и просвиристел:

– Глупый ты, Камень! Всю жизнь на одном месте торчишь, ничего не видишь. А я на далёком Севере вырос, много чудес видел!

Опять промолчал Камень, но про себя подумал:

«Больше вашего я видел, хвастунишки пернатые! Зимой ко мне Север сам в гости приходил, а летом – Юг. Знаю я и жару, и мороз. Видел лес и зелёным, и белым. Знаю я и тебя, Иволгу, птицу летнюю, и тебя, Свиристель, птицу зимнюю. А вот вы-то на одной земле каждый год бываете, а друг друга не видели! Тоже мне путешественники знаменитые!»

НЕПОСЛУШНЫЕ МАЛЫШИ

Сидел Медведь на поляне, пень крошил. Прискакал Заяц и говорит:

– Беспорядки, Медведь, в лесу. Малые старых не слушают. Вовсе от лап отбились!

– Как так?! – рявкнул Медведь.

– Да уж так! – отвечает Заяц. – Бунтуют, огрызаются. Всё по-своему норовят. Во все стороны разбегаются.

– А может, они того... выросли?

– Куда там: голопузые, короткохвостые, желторотые!

– А может, пусть их бегут?

– Мамы лесные обижаются. У Зайчихи семеро было – ни одного не осталось. Кричит: «Вы куда, лопоухие, потопали – вот вас лиса услышит!» А они в ответ: «А мы сами с ушами!»

– Нда, – проворчал Медведь. – Ну что ж, Заяц, пойдём поглядим, что к чему.

Пошли Медведь и Заяц по лесам, полям и болотам. Только зашли в лес густой – слышат:

– Я от бабушки ушёл, я от дедушки ушёл...

– Это что ещё за колобок объявился? – рявкнул Медведь.

– И совсем я не колобок! Я солидный взрослый Бельчонок.

– А почему тогда у тебя хвост куцый? Отвечай, сколько тебе годов?

– Не сердись, дяденька Медведь. Годов мне ещё ни одного. И с полгода не наберётся. Да только вы, медведи, живёте шестьдесят лет, а мы, белки, от силы десять. И выходит, что мне, полугодке, на ваш медвежий счёт – ровно три года! Вспомни-ка, Медведь, себя в три годочка. Небось тоже от медведицы стрекача задал?

– Что правда, то правда! – проворчал Медведь. – Год ещё, помню, в пестунах-няньках ходил, а потом сбежа-а-ал. Да на радостях, помню, улей разворотил. Ох и покатались же на мне пчёлы тогда – посейчас бока чешутся!

Пошагали Медведь с Зайцем дальше. Вышли на опушку и слышат:

– Я, конечно, всех умней. Домик рою меж корней!

– Это ещё что за поросёнок в лесу? – взревел Медведь. – Подать мне сюда этого киногероя!

– Я, уважаемый Медведь, не поросёнок, я почти взрослый самостоятельный Бурундук. Не грубите – я укусить могу!

– Отвечай, Бурундук, почему от матери убежал?

– А потому и убежал, что пора! Осень на носу, о норе, о запасах на зиму пора думать. Вот выройте вы с Зайцем для меня нору, набейте кладовую орехами, тогда я с мамой до самого снега в обнимку готов сидеть. Тебе, Медведь, зимой забот нету: спишь да лапу сосёшь!

– Хоть я лапу и не сосу, а правда! Забот у меня зимой мало, – пробурчал Медведь. – Идём, Заяц, дальше.

Пришли Медведь и Заяц на болото, слышат:

– Хоть мал, да удал, переплыл канал. Поселился у тёти в болоте.

– Слышишь, как похваляется? – зашептал Заяц. – Из дома удрал да ещё и песни поёт!

Рыкнул Медведь:

– Ты почему из дома удрал, ты почему с матерью не живёшь?

– Не рычи, Медведь, сперва узнай, что к чему! Первенец я у мамы: нельзя мне с ней вместе жить.

– Как так нельзя? – не унимается Медведь. – Первенцы у матерей завсегда первые любимчики, над ними они больше всего трясутся!

– Трясутся, да не все! – отвечает Крысёнок. – Мама моя, старая Водяная Крыса, за лето три раза крысят приносила. Две дюжины нас уже. Если всем вместе жить – то ни места, ни еды не хватит. Хочешь не хочешь, а расселяйся. Вот так, Медведушко!

Почесал Медведь щёку, посмотрел на Зайца сердито:

– Оторвал ты меня, Заяц, от серьёзного дела! Всполошил по-пустому. Всё в лесу идёт, как тому и положено: старые старятся, молодые растут. Осень, косой, не за горами, самое время возмужания и расселения. И быть посему!

Лесные шорохи

Окунь и Налим

– Чудеса подо льдом! Все рыбы сонные, апатичные – один ты, Налим, бодренький да игривый. Что с тобой такое, а?

– А то, что для всех рыб зимою – зима, а для меня, Налима, зимою – лето! Вы, окуни, дремлете, а мы, налимы, свадьбы играем, икру мечем, радуемся-веселимся!

– Айда, братцы-окуни, к Налиму на свадьбу! Сон свой разгоним, повеселимся, налимьей икоркой закусим...

Выдра и Ворон

– Скажи, Ворон, мудрая птица, зачем люди костёр в лесу жгут?

– Не ожидал я, Выдра, от тебя такого вопроса. Промокли в ручье, замёрзли, вот и костёр разожгли. У огня греются.

– Странно... А я зимой всегда в воде греюсь. В воде ведь морозов никогда не бывает!

Королёк и Пухляк

– Ну, брат Королёк, и растолстел же ты за зиму! Сразу и не узнаешь – эвон какой верзила. Что в длину, что в ширину. Тяжелей меня небось стал?

– Тяжелей тебя, Пухляк, разве станешь... Вон ты дылда какой, сучки под ногами ломаются, ветки до земли гнутся. Сколько веса-то уже набрал?

– Я-то? Да десять граммов тяну, а ты?

– А я семь...

Заяц и Полёвка

– Мороз и вьюга, снег и холод. Травку зелёную понюхать захочешь, листочков сочных погрызть – терпи до весны. А где ещё та весна – за горами да за морями...

– Не за морями, Заяц, весна, не за горами, а у тебя под ногами! Прокопай снег до земли – там и брусничка зелёная, и манжетка, и земляничка, и одуванчик. И нанюхаешься, и наешься.

Барсук и Медведь

– Что, Медведь, спишь ещё?

– Сплю, Барсук, сплю. Так-то, брат, разогнался – пятый месяц без просыпу. Все бока отлежал!

– А может, Медведь, нам вставать пора?

– Не пора. Спи ещё.

– А не проспим мы с тобой весну-то с разгону?

– Не бойся! Она, брат, разбудит.

– А что она – постучит нам, песенку споёт или, может, пятки нам пощекочет? Я, Миша, страх как на подъём-то тяжёл!

– Ого-го! Небось вскочишь! Она тебе, Боря, ведро воды как даст под бока – небось не залежишься! Спи уж, пока сухой.

Сорока и Оляпка

– О-о-ой, Оляпка, никак, купаться в полынье вздумал?!

– И плавать, и нырять!

– А замёрзнешь?

– У меня перо тёплое!

– А намокнешь?

– У меня перо водоотталкивающее!

– А утонешь?

– Я плавать умею!

– А... а... а проголодаешься после купанья?

– А я для того и ныряю, чтоб водяным жучком закусить!

БЕЖАЛ ЁЖИК ПО ДОРОЖКЕ

Бежал Ёжик по дорожке – только пяточки мелькали. Бежал и думал: «Ноги мои быстры, колючки мои остры – шутя в лесу проживу». Повстречался с Улиткой и говорит:

– Ну, Улитка, давай-ка наперегонки. Кто кого перегонит, тот того и съест.

Глупая Улитка говорит:

– Давай!

Пустились Улитка и Ёж. Улиткина скорость известно какая – семь шагов в неделю. А Ёжик ножками туп-туп, носиком хрюк-хрюк, догнал Улитку, хруп – и съел.

Дальше побежал – только пяточки замелькали. Повстречал Лягушку-Квакушку и говорит:

– Вот что, пучеглазая, давай-ка наперегонки. Кто кого перегонит, тот того и съест.

Пустились Лягушка и Ёж. Прыг-прыг Лягушка, туп-туп-туп Ёжик. Лягушку догнал, за лапку схватил и съел.

Съел Лягушку – дальше пятками замелькал. Бежал-бежал, видит: Филин на пне сидит, с лапы на лапу переминается и клювищем щёлкает.

«Ничего, – думает Ёж, – у меня ноги быстрые, колючки острые. Я Улитку съел, Лягушку съел – сейчас и до Филина доберусь!»

Почесал храбрый Ёж сытенькое брюшко лапкой и говорит этак небрежно:

– Давай, Филин, наперегонки. А коли догоню – съем!

Филин глазищи прищурил и отвечает:

– Бу-бу-будь по-твоему!

Пустились Филин и Ёж.

Не успел Ёж и пяточкой мелькнуть, как налетел на него Филин, забил широкими крыльями, закричал дурным голосом.

– Крылья мои, – кричит, – быстрее твоих ног, когти мои длиннее твоих колючек! Я тебе не Лягушка с Улиткой – сейчас целиком проглочу да и колючки выплюну!

Испугался Ёж, но не растерялся: съёжился да под корни и закатился. До утра там и просидел.

Нет, не прожить, видно, в лесу шутя. Шути, шути, да поглядывай!

ФЕДОТ, ДА НЕ ТОТ!

Поставил грибник на пенёк корзину с грибами. Сам к ручью отдохнуть отошёл. Увидел кузовок Дрозд да как затрещит:

– Ах, батюшки, ох, матушки, что же такое делается? Ядовитые поганки в кузове сидят, а вкуснейшие съедобные грибы рядом валяются! Благороднейший гриб – Боровик! Вкуснейший гриб – Шампиньон! Что тут творится? Что это за грибник

такой – незнайка и растяпа? Набрал одних поганок, да ещё и радуется небось? Надо нам его от беды спасти!

А тут ещё Мухомор из-под листка высунулся:

– Эх, была не была, назовусь груздем, да и полезу в кузов! Что я, хуже других поганок, что ли?

– Какой же ты груздь, – закричал Боровик, – когда ты Мухомор!

– Никакой ты не груздь, почему ты лжёшь? – вскрикнул гриб Шампиньон.

– Все лгут, и я лгу, – отвечает Мухомор. – Ты, Боровик, лучше посмотри, кто в кузове-то справа сидит? Вон Ложный Опёнок. Вон Ложная Лисичка!

Все ложные: лгун на лгуне! А слева ещё хуже! Вон Сатанинский ядовитый гриб. А вон, полюбуйся, ядовитая Бледная поганка торчит! А это горький, как горчица, Жёлчный гриб! Вот какая компания в кузове собралась! А я что – хуже их? Я тоже поганка. Пустите меня к своим!

Полез Мухомор в кузовок, а поганки его не пускают.

– Братцы поганки! – завопил Мухомор. – Вы что, своих не признаёте? Чего вы пихаетесь? Это ж я, Мухомор! Бледная поганка, замолви словечко за родственника. Мы же с тобой друзья до гроба!

– Ну уж нет! – отвечает Бледная поганка. – И не подумаю! Полюбуйтесь на этого дурня в красной шапке. Да ещё и в белую крапинку. Тебя же любой грибник с первого взгляда узнает, сразу поймёт, что ты за фрукт! А из-за тебя и нас ещё из кузова вышвырнет.

– Жёлчный гриб, дружище, – кричит Мухомор, – хоть ты мне протяни руку! Ты поганка, и я поганка. Друг друга нам выручать надо!

– Была бы охота! – ворчит Жёлчный гриб. – Ты же, дуралей, все наши поганкины обычаи нарушил, всю нашу ядовитую семью подвёл. Ну чего ты в красную шапку вырядился? Разве настоящая поганка станет сама в глаза всем кидаться да в ногах путаться? Уж коли ты поганка, так хоть прикинься порядочным грибом, под съедобного замаскируйся. Бери, глупыш, с нас пример! Правду я говорю, гриб Сатанинский?

– Ты, Жёлчный гриб, – отвечает гриб Сатанинский, – прав, как всегда! Ты, Мухомор, нас знаешь: мы до мозга костей поганки! А взгляни на нас – по виду разве заметно? То-то вот и оно! Мы в чужую одёжку стараемся нарядиться. Да не во всякую там одёжку, а с выбором. Кто среди всех грибов самый образцовый и положительный? Конечно же Белый гриб – Боровик. Он во все блюда мастер: в жарево, варево и в маринад. Хоть соли его, хоть суши – он только лучше становится. Вот я, Сатанинский гриб, и гриб Жёлчный в его одёжку и вырядились! Попробуй-ка нас различи с ходу! И пиджачок одинаковый, и шляпа похожа. Потому нас грибник и спутал. А тебя пусти – ты ведь нас с головой выдашь!

– Учись у меня, – хвалится ядовитая Бледная поганка. – Из всех поганок я самая ядовитая, прямо как змея! А по одёжке – распрекраснейший и нежнейший гриб Шампиньон! Меня вон грибник-незнайка и не распознал, а тебя, дурня, за версту узнает!

Полез Мухомор опять в кузов, а его опять выпихнули.

– Значит, так и не пустите? – рассердился он.

– Так и не пустим! Лучше и не проси! – отвечают поганки.

– До трёх считаю: раз, два... – пригрозил Мухомор.

– Три, четыре... – издеваются поганки.

– Ну, поганки, держитесь! – заорал Мухомор. – Пеняйте на себя теперь! Я вас сейчас всех на чистую воду выведу! Все ваши приметы и хитрости грибникам выдам. «Мы – как белые! Мы – как шампиньоны!» Хоть вы и похожи, да не одно и то же! – И выволок из кузова грибы Жёлчный и Сатанинский, схватил их за шляпки и поставил рядом с Боровиком. – Смотрите все и запоминайте! По виду эти поганки и в самом деле похожи на гриб Боровик. Но если Сатанинскому надломить шляпку – вот так! – то на изломе она станет лиловатой, а если то же сделать с грибом Жёлчным – вот так! – то его шляпка на изломе станет розовой. Запомнили? А у тебя, благородный гриб Боровик?

– А у меня излом шляпки всегда белый! – ответил гордо гриб Боровик. И сам надломил себе шляпку. – Видели? Беленькая, чистенькая и не горькая!

А Мухомор не унимается:

– Теперь, Бледная поганка, твоя очередь! Становись рядышком с Шампиньоном. Сверху ты и впрямь на него похожа, а вот снизу – совсем другая! Какие у тебя пластинки под шляпкой? Белые, бледные. А у Шампиньона? А у Шампиньона они розоватые, а то буроватые. Вот и весь мой сказ! Кто там ещё в кузове прячется? Ага, ещё Ложный Опёнок с Ложной Лисичкой! Ну, эти обманщики не страшные, если их съедите – не отравитесь. Кыш по кустам!

Разогнал Мухомор всех поганок, посадил в кузовок гриб Боровик и гриб Шампиньон и говорит:

– Ну а меня-то вы уж ни с кем не спутаете! Как говорится – по Сеньке и шапка. И рад бы божьей коровкой прикинуться, да пятнышки выдают!

И снова под листок спрятался.

Вернулся грибник, взял свой кузовок и пошагал домой. Так ничего и не заметил. Вот растяпа!

ДУБ И ВЕТЕР

– Ну, Дуб, и вымахал же ты, братец, – чуть не до неба! Выше тебя в лесу и дерева нет. С чего это тебя так вытянуло?

– От любопытства, Ветер, от любопытства! Я страх какой любопытный. Помню, только ещё из жёлудя высунулся, траву вокруг увидел, а уж думаю про себя: «А что там, за травой, скрывается?» Вырос выше травы, кусты увидел и опять думаю: «А что там дальше, за кустами?» Ни днём ни ночью покою не было: так и хотелось узнать, что за низенькими деревцами, что за высокими? Всё тянулся да тянулся – эвон какой вымахал!

– Ну теперь-то небось успокоился? Теперь-то всё вокруг видишь, всё вокруг знаешь?

– Где там успокоился! Разве всё увидишь да узнаешь? А вон там, за горизонтом, что? А за горами, за морями? Эх, мне бы ещё подрасти да потом на цыпочки встать – хоть бы одним глазком туда заглянуть!

КРАПИВНОЕ СЧАСТЬЕ

Выросла на краю поляны Крапива. Поднялась над травами и смутилась. Цветы вокруг красивые и душистые, ягоды вкусные. Одна она бесталанная: ни вкуса приятного, ни яркого цвета, ни сладкого запаха!

И вдруг слышит Крапива:

– Не велико счастье красивым-то быть! Кто ни увидит – сорвёт... – Это белые ромашки прошептали.

– Думаете, душистым быть лучше? Как бы не так! – прошелестел Шиповник.

– Хуже всего быть вкусной! – покачала головкой Земляника. – Всяк съесть норовит.

– Вот так так! – удивилась Крапива. – Выходит, что самая счастливая тут я? Меня ведь никто не трогает: не нюхает, не срывает.

– Мы завидуем твоей спокойной жизни! – хором пропели цветы и ягоды.

– Как я рада, как я счастлива! – крикнула Крапива. – Как мне хорошо, – добавила она задумчиво. – Расту – не обращают внимания, цвету – не нюхают, засохну – и не вспомнят... – И вдруг Крапива всхлипнула: –

Будто меня и не было совсем, будто я и не жила! Пропади пропадом такое крапивное счастье!

Цветы и ягоды внимательно слушали Крапиву. И больше никогда не жаловались на свою беспокойную жизнь.

ОСЕНЬ НА ПОРОГЕ

– Жители леса! – закричал раз утром мудрый Ворон. – Осень у лесного порога, все ли к её приходу готовы?

Как эхо донеслись голоса из леса:

– Готовы, готовы, готовы...

– А вот мы сейчас проверим! – каркнул Ворон. – Перво-наперво осень холоду в лес напустит – что делать станете?

Откликнулись звери:

– Мы, белки, зайцы, лисицы, в зимние шубы переоденемся!

– Мы, барсуки, еноты, в тёплые норы спрячемся!

– Мы, ежи, летучие мыши, сном беспробудным уснём!

Откликнулись птицы:

– Мы, перелётные, в тёплые края улетим!

– Мы, оседлые, пуховые телогрейки наденем!

– Вторым делом, – Ворон кричит, – осень листья с деревьев сдирать начнёт!

– Пусть сдирает! – откликнулись птицы. – Ягоды видней будут!

– Пусть сдирает! – откликнулись звери. – Тише в лесу станет!

– Третьим делом, – не унимается Ворон, – осень последних насекомых морозцем прищёлкнет!

Откликнулись птицы:

– А мы, дрозды, на рябину навалимся!

– А мы, дятлы, шишки начнём шелушить!

– А мы, щеглы, за сорняки примемся!

Откликнулись звери:

– А нам без мух-комаров спать будет спокойней!

– Четвёртым делом, – гудит Ворон, – осень скукою донимать станет! Туч мрачных нагонит, дождей нудных напустит, тоскливые ветры науськает. День укоротит, солнце за пазуху спрячет!

– Пусть себе донимает! – дружно откликнулись птицы и звери. – Нас скукою не проймёшь! Что нам дожди и ветры, когда мы в меховых шубах и пуховых телогрейках! Будем сытыми – не заскучаем!

Хотел мудрый Ворон ещё что-то спросить, да махнул крылом и взлетел.

Летит, а под ним лес, разноцветный, пёстрый – осенний.

Осень уже перешагнула через порог. Но никого нисколечко не напугала.

Лесные шорохи

Лосёнок и Ворон

– Ой, Ворон, Ворон, посмотри-ка скорей в лужу: что там за пугало отражается? Ну и ну! Ноги – жерди, уши – лопухи, а нос-то, нос – словно тыква! Вот так зверь! Как такого урода земля держит!

– А это, Лосёнок, тебя надо спросить. В луже-то, голубчик, ты отражаешься. Собственной персоной! От ушей до копыт!

Одуванчик и Дождь

– Ура! Караул! Ура! Караул!

– Что с тобой, Одуванчик? Уж не заболел ли? Ишь жёлтый весь! Чего ты то «ура», то «караул» кричишь?

– Закричишь тут!.. Корни мои рады тебе, Дождю, радёшеньки, всё «ура» кричат, а цветок «караул» кричит – боится, что пыльцу испортишь. Вот я и растерялся – ура, караул, ура, караул!

Королёк и Паук

– Э-э, Паук, да у тебя праздник! Вся паутина в росе. Иллюминация и фейерверк! Вот небось радости-то!

– Меняю всё это сверкание на одну муху! Третий день из-за этой иллюминации комаришки во рту не было. Паутина отсырела. Сети рвутся. Сам окоченел. Ещё день так пропраздную – и готово: закрою все восемь своих глаз, все восемь ног протяну!

Колюшка и Уклейка

– Ну и влипли мы с тобой в историю, Уклейка!

– Ох, и не говори! Прямо рыболову в ведёрко угодили. У меня от испуга даже спинка побледнела!

– А у меня от злости живот покраснел!

Куропатка и Клюква

– Батюшки, вот так Клюква-ягода! Щёки-то, щёки какие! Красные, блестящие – так вся и сияет!

– Вот и сияю – мой черёд настал! Раньше только и слышно в лесу: ах, земляника, ох, черника, ух, малина! А теперь, осенью, я самая главная ягода. Я, Клюква болотная!

Сорока и Осень

– Слыхала, Осень, что Лебедь, Рак и Щука сговорились тебя из леса прогнать? Пусть только нос сунет, хвалились, мы-де ей покажем, где раки зимуют!

– Э-э, Сорока, не первый год они мне грозят! Сговариваются, а как приду, так кто куда: Лебедь – в облака да на юг, Рак упятится в нору, а Щука спрячется в глубину. И до весны о них ни слуху ни духу!

Осоед и Змееед

– Знаешь, Осоед, а ведь мы с тобой, брат, герои!

– Какие там, Змееед, герои – птицы как птицы!

– Ну не скажи! Все от змей да ос в кусты шарахаются, а мы с тобой уплетаем их за обе щёки и даже не вздрагиваем. Геройские мы, брат, с тобой едоки!

Кто как спит

– Ты, Заяц, как спишь?
– Как положено – лёжа.
– А ты, Тетёрка, как?
– А я сидя.
– А ты, Цапля?
– А я стоя.
– Выходит, друзья, что я, Летучая мышь, ловчее всех вас сплю, удобнее всех отдыхаю!
– А как же ты, Летучая мышь, спишь-отдыхаешь?
– Да вниз головой...

ДРУЗЬЯ-ТОВАРИЩИ

– Слепые мои глаза, глупая моя голова, глухие мои уши! – причитал Медведь, в отчаянии мотая башкой.

– Странно сильного видеть в слабости! – буркнул головастый Филин. – Что с тобой случилось, Медведь?

– Не спрашивай, Филин, не береди рану! Один я остался в несчастье и горе. Где мои верные друзья и товарищи?

Филин хоть и страшноватый на вид, но сердце у него отзывчивое. Говорит он Медведю:

– Поделись, Миша, бедой. Может, и полегчает.

Раньше бы Медведь на Филина и не взглянул, а теперь, как один остался, снизошёл.

– Ты, – говорит, – меня знаешь. Я самый сильный в лесу. И было у меня много друзей. Куда ни повернусь – все в глаза заглядывали. И вдруг сразу ни одного! Как ветром сдуло.

– Странно, Медведь, очень странно, – сочувствует Филин.

– А уж обидно-то как! Раньше, бывало, Сорока чуть свет все лесные новости на хвосте приносила. Вороны про мою силу и щедрость на весь лес каркали. Мыши пятки во сне щекотали. Комары хвалебные песни трубили. И вот никого...

– И все верные друзья были? – Филин выспрашивает.

– Закадычные друзья-товарищи! – прослезился Медведь. – Как начнут наперебой: «Ты у нас самый умный, ты у нас самый добрый, самый сильный и самый красивый». Сердце пело! А теперь разбежались...

– Ну не надо, не надо! – заморгал Филин.– Не убивайся уж так! Назови-ка мне своих лучших друзей, может, что и узнаю.

– Называл уже: Ворон, Сорока и Мышка. Где вы?..

– Хоть меня ты в друзьях и не числишь, – обещает Филин, – но послужу я тебе по-дружески. Отыщу всех, порасспрашиваю. А ты меня тут жди!

Взмахнул Филин широкими мягкими крыльями и бесшумно взлетел. Замелькала его тень по кустам и деревьям. И сам несётся как тень: ветки не заденет, крылом не скрипнет. Два оранжевых глаза глядят пронзительно. Сразу Сороку увидели.

– Эй, Сорока, ты с Медведем дружила?

– Мало ли с кем я дружила... – осторожно отвечает Сорока.

– А что ж теперь его позабыла и бросила?

– Мало ли кого я бросаю и забываю... А Медведь сам виноват! Я ведь не простой друг, а друг доверительный. Доверяла ему все секреты. Сообщала, где овца захромала и от стада отбилась, в каком дупле пчёлы мёд спрятали, когда рыба на нерест косяками пошла. Медведь, бывало, распорядится посвоему, по-медвежьи, глядишь – и мне перепадёт что-нибудь. А теперь его охотники из нашего леса угнали. С глаз долой – из сердца вон!

Полетел Филин дальше. На лесной опушке увидел Ворона.

– Здравствуй, Ворон! Что ж ты с Медведем дружить перестал?

– Это с каким? Которого охотники из нашего леса прогнали? А для чего он мне теперь? Я ведь не простой друг, а друг обеденный. Бывало, после Медведя и мне косточки оставались. А теперь небось другим достаются. Пусть другие и каркают про него. А мне некогда, я себе другого медведя ищу!

Полетел Филин дальше.

Мышь он, хоть и привычное дело, увидел не сразу: уж очень та ловко пряталась.

– Эй, Мышь, ты ли это?

– Не я, не я! – пискнула Мышь.

– Да не бойся ты, не отказывайся сама от себя! Мне только спросить: ты почему пятки Медведю щекотать перестала?

Опомнилась Мышка, заверещала:

– Как же мне щекотать их, если Медведь из нашего леса ноги унёс? Пяточки только сверкали! Комарам и тем не догнать было. Мы теперь Лосю служим. Комары кровь сосут, я линючую шерсть для гнезда собираю. Звон за кровь, шерсть за щекотку. Мы друзья расчётливые. Друг-то друг, да не будь и сам глуп!

– Живи пока, – буркнул Филин. – Жаль, что мне некогда... – И поспешил к Медведю.

– Ты ли, Филин! – обрадовался Медведь. – Не томи, что с друзьями случилось?

– Нет у тебя больше друзей! – говорит Филин. – Да и не было никогда!

– Как же так, а Сорока, а Ворон?

– Друг – когда просто друг. А эти...

– Понятно: беда в дверь, а друзья за дверь! Все двуличные, все ничтожные. Негодяи! А-а-а! У-у-у!

А Филин не успокаивает, Филин думает. И говорит:

– Сдаётся мне, что у вас, медведей, других друзей и быть-то не может. Не друзья вам нужны, а угодники. Уж больно вы, медведи, на похвалу слабы. «Скажи мне, кто твои друзья, и я скажу, кто ты!» Ты, Медведь, тоже Мышь. Только сильная.

Медведь заворчал сердито, скосил страшный глаз, стал кору когтями драть. Но Филин уже не смотрел на него. Филин опять думал.

«Верный друг познаётся в беде, – думал Филин. – Друг в ногах не валяется. Давным-давно это сказано, а вот поди ж ты...»

– Слушай, Медведь! – сказал Филин. – Скажу понятную тебе примету на друга: «Не тот друг, кто мёдом мажет, а тот, кто правду скажет». Понял?

– Ещё бы! – обрадовался Медведь. – Мёд, медок, медовуха... Слаще любой правды!

«Не понял, – сказал про себя Филин. И устало закрыл глаза. – Медведь...»

ШВЕЙНЯ

Зима на носу, майку на шубу пора менять, босоножки – на валенки. Задумались звери: где шубу достать? А Лисица тут как тут.

– Ко мне, ко мне, желанные, торопитесь. У меня швейня «Семь шкур». На всех угожу!

Первым прискакал Заяц:

– Поторопись, Лиса, снег со дня на день, того и гляди, а я в летней безрукавке. Зуб на зуб не попадёт, да не от холода, а от страха: хорош я буду в тёмном-то на белом снегу! Можешь ты мне раздобыть шубку защитную – беленькую, как снежок?

– Это мне что хвостом вильнуть! – отвечает Лиса. – Только вот мерку сниму, скачи ко мне ближе...

– Какую ещё мерку? – насторожился Заяц. – А ты на глазок.

– Без мерки не могу, – отвечает Лиса. – Глазам я не верю, мне надо пощупать. Кто следующий?

Белка на ёлке стрекочет:

– Мне, Лиса, сделай шубку на беличьем меху, тёплую, зимнюю. И хвостик чтоб попушистей, да на ушки кисточки не забудь, да на грудку белый передничек. Моя-то летняя рыжая пообносилась. Зябну...

– Фу-ты ну-ты, франтиха какая! – проворковала Лиса. – Кисточки ей, хвостик, передничек... И кому на тебя в лесу-то смотреть? Ну да ладно, слезай с ёлки, мерку снимать буду.

– А без примерки разве нельзя? – испугалась Белка.

– Без примерки я только Ежу делаю: иголок натыкаю, и готово. Есть там ещё кто?

Из воды высунулась Выдра:

– Мне, Лиса, нужна шуба тёплая и непромокаемая, из водоотталкивающей шерсти. Я ведь и зимой в воде-сырости, мне в шубе и нырять, и плавать!

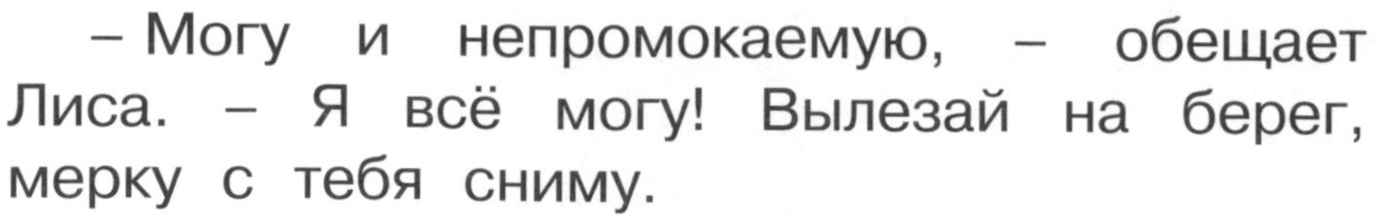

– Могу и непромокаемую, – обещает Лиса. – Я всё могу! Вылезай на берег, мерку с тебя сниму.

– Только мерку снимешь?

– А что же ещё?

– Мне бы лучше без мерки... – упирается Выдра.

– И чего это вы все недотроги такие? – не понимает Лиса. – Или вы щекотки боитесь? Видали на мне лисью шубу – какая работа! Пушнина, мягкое золото! Охотники прямо глаз с неё не сводят. А всё потому, что по мерке. И медвежью шубу шила, и волчью доху – нахвалиться не могут!

– Так-то оно так... – жмутся звери. – Да мы-то не волки и не медведи. Как бы в твоих «Семи шкурах» свою последнюю не потерять. Вместе с меркой-то, гляди, и голову снимешь. Лучше уж мы, Лиса, без твоей помощи обойдёмся, сами выменяем майку на телогрейку.

И разбежались во все стороны. Лиса только зубами щёлкнула.

УПРЯМЫЙ ЗЯБЛИК

Октябрь так птиц пугнул, что иные до самой Африки без оглядки летели! Да не все такие пугливые. Другие и с места не тронулись. Ворона вон – хоть бы ей что! Каркает. Галки остались. Воробьи. Ну да с этими Октябрь и связываться не хочет. Этим и Январь нипочём! А вот за зябликов взялся. Потому что фамилия у них такая – Зяблик – и должны они Октября бояться. Взялся – и всех разогнал.

Один только остался. Самый упрямый.

– Зяблик ты, так зябни! – рассердился Октябрь. И стряхнул термометр.

А Зяблик не зябнет!

– Небось озябнешь! – разбушевался Октябрь. И давай Зяблику под перо ветром дуть.

А Зяблик не зябнет! У него от озноба верное средство – тугой животок. Прыгает по веткам, как по ступенькам. И склёвывает: то жука, то семечко. А раз животок тугой, то и температура у него нормальная птичья – плюс сорок четыре градуса! С такой температурой и в октябре май.

– Холодом не пронял – голодом доконаю! – скрипнул Октябрь морозцем и так ветром дунул, что сдул с деревьев все листья и всех насекомых.

А Зяблик – порх! – и на землю. Стал на земле кормиться.

Октябрь на недельку задумался, потом землю дождичком спрыснул и морозцем застудил.

– Ужо тебе!

Раззадорился Зяблик – порх! – и наверх.

– Ты землю заморозил, а я рябину мороженую клевать буду. Была не была!

И стал клевать рябину.

Посинел Октябрь от злости. Ветром дует. Дождём полощет. Снежком сечёт. И морозцем прихватывает, прихватывает...

А Зяблик не зябнет. Рябина-то от мороза только вкусней становится!

ПОЧЕМУ НОЯБРЬ ПЕГИЙ?

Высунулась из-за леса снеговая туча, наделала в лесу переполоху!

Увидал тучу Заяц-беляк да как заверещит:

– Скорей, туча, скорей! Я давным-давно белый, а снегу всё нет да нет! Того и гляди, охотники высмотрят!

Услыхала туча Зайца и двинулась в лес.

– Нельзя, туча, назад, назад! – закричала серая Куропатка. – Землю снегом засыплешь – что я есть стану? Ножки у меня слабые, как я до земли дороюсь?

Туча двинулась назад.

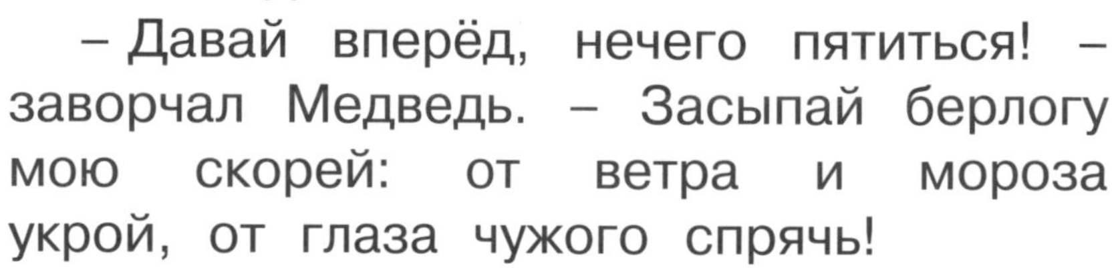

– Давай вперёд, нечего пятиться! – заворчал Медведь. – Засыпай берлогу мою скорей: от ветра и мороза укрой, от глаза чужого спрячь!

Туча помедлила и опять двинулась в лес.

– Сто-ой, сто-ой! – завыли волки. – Насыплешь снегу – ни пройти, ни пробежать. А нас, волков, ноги кормят!

Туча заколыхалась – остановилась. А из лесу крик и вой.

– Лети к нам, туча, засыпай лес снегом! – кричат одни.

– Не смей снег высыпать! – воют другие. – Назад поворачивай!

Туча то вперёд, то назад. То посыплет снежком, то перестанет.

Потому-то ноябрь и пегий: то дождь, то снег, то мороз, то оттепель. Где снежок белый, где земля чёрная.

Ни зима, ни осень!

КУРОРТ «СОСУЛЬКА»

Сидела Сорока на заснеженной ёлке и плакалась:

– Все перелётные птицы на зимовку улетели, одна я, дура оседлая, морозы и вьюги терплю. Ни поесть сытно, ни попить вкусно, ни поспать сладко. А на зимовке-то, говорят, курорт... Пальмы, бананы, жарища!

И слышит вдруг голос:

– Это смотря на какой зимовке, Сорока!

– На какой, на какой – на обыкновенной!

– Обыкновенных зимовок, Сорока, не бывает. Бывают зимовки жаркие – в Индии, в Африке, в Южной Америке, а бывают холодные – как у вас в средней полосе. Вот мы, например, к вам зимовать-курортничать с Севера прилетели. Я – Сова белая, они – Свиристель и Снегирь, и они – Пуночка и белая Куропатка.

– Что-то я вас не пойму толком! – удивляется Сорока. – Зачем же вам было в такую даль лететь киселя хлебать? У вас в тундре снег – и у нас снег, у вас мороз – и у нас мороз. Тоже мне курорт – одно горе.

Но Свиристель не согласен:

– Не скажи, Сорока, не скажи! У вас и снега поменьше, и морозы полегче, и вьюги поласковей. Но главное – это рябина! Рябина для нас дороже всяких пальм и бананов.

И белая Куропатка не согласна:

– Вот наклююсь ивовых вкусных почек, в снег головой зароюсь – чем не курорт? Сытно, мягко, не дует.

И белая Сова не согласна:

– В тундре сейчас спряталось всё, а у вас и мыши, и зайцы. Весёлая жизнь!

И все другие зимовщики кивают, поддакивают.

– Век живи, век учись! – удивляется Сорока. – Выходит, мне не плакать надо, а веселиться! Я, выходит, сама всю зиму на курорте живу. Ну чудеса, ну дивеса!

– Так-то, Сорока! – кричат все. – А о жарких зимовках ты не жалей, тебе на твоих куцых крыльях всё равно в такую даль не долететь. Курортничай лучше с нами!

Снова тихо в лесу. Сорока успокоилась. Холодные курортники едой занялись. Ну а те, что на жарких зимовках, – от них пока ни слуху ни духу.

СУД НАД ДЕКАБРЁМ

Собрались на озере птицы и звери. Декабрь судить.

Уж очень все от него натерпелись. Потёр Ворон носище об лёд и каркнул:

– День Декабрь нам сократил, а ночь сделал длинной-предлинной. Засветло теперь и червячка заморить не успеешь. Кто за то, чтоб осудить Декабрь за такое самоуправство?

– Все, все, все! – закричали все.

А Филин вдруг говорит:

– Я против! Я в ночную смену работаю, мне чем ночь длиннее, тем сытнее.

Почесал Ворон коготком затылок. Судит дальше:

– В Декабре скучища в лесу – ничего весёлого не происходит. Того и гляди, от тоски сдохнешь. Кто за то, чтоб Декабрь за скукоту осудить?

– Все, все, все! – опять закричали все.

Из полыньи вдруг высовывается Налим и булькает:

– Я против! Какая уж тут тоска, если я к свадьбе готовлюсь? И настроение у меня, и аппетит. Я с вами не согласен!

Поморгал Ворон, но судит дальше:

– Снега в Декабре очень плохие: сверху не держат и до земли не дороешься. Измучились все, отощали. Кто за то, чтобы Декабрь вместе с плохими снегами из леса выставить?

– Все, все, все! – кричат все.

А Тетерев и Глухарь против. Высунули головы из-под снега и бормочут:

– Нам в рыхлом снегу спится здорово: скрытно, тепло, мягко. Пусть Декабрь остаётся.

Ворон только крыльями развёл.

– Судили, рядили, – говорит, – а что с Декабрём делать – неизвестно. Оставлять или выгонять?

Опять закричали все:

– А ничего с ним не делать, сам по себе кончится. Месяц из года не выкинешь. Пусть себе тянется!

Потёр Ворон носище об лёд и каркнул:

– Так уж и быть, тянись, Декабрь, сам по себе! Да очень-то смотри не затягивайся!..

ЛЕСНЫЕ ШОРОХИ

Сорока и Енот

– Енот, а Енот, а ты ягоды есть любишь?

– Люблю!

– А птенцов и яйца любишь?

– Люблю!

– А лягушек и ящериц любишь?

– Люблю!

– А жуков и сороконожек любишь?

– Люблю!

– А... а червяков и улиток любишь?

– Тоже люблю!

– А чего же ты тогда не любишь?

– Не люблю, когда меня глупыми вопросами от еды отвлекают!

Медведь и Крот

– Послушай, Крот, ты весь век в земле возишься, вот-то, поди, умываться часто приходится?

– Ой, Медведь, и не говори! Замучили меня умывания. До того часто, до того часто – два раза в год. Раз – весной, в половодье, раз – осенью, в ненастье. Завидую, косолапый, тебе: медведи, говорят, век не моются!

Желна и Сорока

– Ой, Желна, что-то с Филином нашим неладно! Каждую ночь стонет и охает! Уж не заболел ли, не простудился? То хрипит, то бурчит, то ворчит – словно ежом подавился!

– Что ты, Сорока, что ты! Да это он самые свои нежные песни поёт! Самые развесёлые! Молчи уж, а то услышит ещё, обидится. Тс-с!

Карась и Окунь

– Охо-хо, Окунь, горемычная я рыба! Вся-то моя жизнь в грязи да в тине.

– А ты, Карась, клюнь на крючок – попадёшь в сметану...

Лисица и Заяц

– Слыхал, Заяц, как охотники мой лисий хвост называют? Трубой! Хи-хи-хи...

– А мой заячий хвост охотники прозвали цветком. Цветком, цветиком, цветочком.

– Да ну-у! А ну дай-ка мне цветочек понюхать...

– Но-но-но! Я твою лисью породу знаю! Цветок понюхаешь, а ногу откусишь. Проходи, проходи со своей трубой!

Дуб и Рябина

– Ой, Рябина-Рябинушка, что взгрустнула ты?

– Была я, Дуб, тонкой рябинкой, а стала сухой корягой. Ободрали меня ребятишки как липку, разделали под орех. Ни ягод на мне, ни сучков, ни веток – хоть в костёр головой! Хоть бы ты, Дуб, меня защитил.

– Что ты, что ты! Я сам теперь, голубушка, такой, что краше в дровяной склад кладут. Всю-то осень жёлуди с меня сшибали, камнями да палками по голове молотили. Всю душу вытрясли! Был я дубом, стал дубиной...

Сорока и Медведь

– Эй, Медведь, ты днём что делаешь?

– Я-то? Да ем.

– А ночью?

– И ночью ем.

– А утром?

– И утром.

– А вечером?

– И вечером ем.

– Когда же ты тогда не ешь?

– Когда сыт бываю.

– А когда же ты сытым бываешь?

– Да никогда...

ВОРОБЬИШКИНА ВЕСНА

Песенка под окном

Весной в лесах и полях поют мастера песен: соловьи, жаворонки. Люди слушают их затаив дыхание. Я много знаю птичьих песен. Услышу – и сразу скажу, кто поёт. А нынче вот не угадал.

Проснулся я рано-рано. Вдруг слышу: за окном, за занавеской, птичка какая-то завозилась в кустах. Потом голосок, но такой приятный, будто две хрусталинки ударились друг о друга. А потом просто по-воробьиному: «Чив! Чив!»

Диво!

Хрусталинкой – воробьём, воробьём – хрусталинкой. Да всё горячей, всё быстрей, всё звонче!

Перебирал я в памяти все птичьи песни – нет, не слыхал такой никогда.

А птичка-невидимка не унимается: хрусталинкой – воробьём, воробьём – хрусталинкой!

Тут уж и под тёплым одеялом не улежишь! Вскочил я, отдёрнул занавеску и вижу: сидит на кусте обыкновенный воробей! Старый знакомый! Чив – Щипаный Затылок. Он всю зиму летал ко мне на подоконник за крошками. Но сейчас Чив не один, а с подружкой. Подружка спокойно сидит и пёрышки чистит. А Чиву не сидится. Он чирикает во всё горло и как заводной скачет вокруг подружки с ветки на ветку – со ступеньки на ступеньку. Тонкие ветки бьются одна о другую и звенят хрусталинками. Потому звенят, что дождевая вода замёрзла на них тонкими сосульками.

«Чив!» – воробей. «Дзень!» – сосулька.

И так это выходит хорошо и здорово, ей-ей, не хуже, чем у заслуженных певцов – соловьёв и жаворонков.

Воробьиные ночи

Всю зиму воробей Чив прожил в старой печной трубе. Долго тянулись страшные зимние ночи: стрелял мороз, ветер тряс трубу и сыпал сверху ледяную крупку. Зябли ножки, иней вырастал на пёрышках.

Великий день

Каждый день выше солнце. Каждая ночь хоть на воробьиный скок, а короче.

И вот пришёл он – Великий день: солнце поднялось так высоко, что заглянуло к Чиву в чёрную трубу.

Сосулькина вода

На крышах сосульки. Днём с сосулек капает вода. Это особая вода – сосулькина. Чив очень любит сосулькину воду. Перегнётся с карниза и ловко подхватит клювом сосулькину капельку, похожую на капельку солнца. Напившись воды, Чив начинает так отчаянно прыгать и чирикать, что прохожие останавливаются, улыбаются и говорят: «Ожил курилка!»

Кап! Кап!

Кусты набрякли водой. На каждой ветке гирлянды капель. Сядет воробей – сверкающий дождь! Нагнётся пить, а капелька из-под самого носа – кап! Воробей к другой, другая – кап!

Скок, скок воробей. Как, кап капельки.

Весенний звон

Схватил мороз. Каждая мокрая ветка оделась в ледяной чехольчик. Сел воробей на наклонный сучок – да и покатился вниз, как с горки. Синица тоже поскользнулась – повисла вниз головой. Ворона с лёту ухнула в самую гущину сучьев – вот наделала звону!

Перекувырк

Каждый день новость. В воздухе появились насекомые! Чив столбиком взлетел с крыши, схватил на лету жучишку и, сделав в воздухе перекувырк, опустился на трубу. Наелся Чив жуков и мух, и начали твориться с ним странные вещи. Он вдруг схватил за загривок своего старого друга Чирика и стал трепать его, как собака кошку. Чирик орал, дрыгал ножками, бил крылышками. Но Чив трепал его и трепал, пока не выдрал у него клок перьев. А всю зиму они были друзьями. И воду пили с одной сосульки. И отмывались в соседних лужах. Только вода после Чирика стала не чёрная, а рыжая. Потому что всю зиму Чирик спал в щели кирпичной трубы.

А теперь всё пошло кувырком.

Ступеньки

Обвисшие ветви ивы похожи на зелёные волосы. На каждой волосинке узелки, узелки.

Это почки.

Дождевые капли скатываются по ветвям, весело прыгают с почки на почку. Так на одной ножке прыгают вниз по ступенькам ребята.

Ива сверкает и улыбается.

Зелёные бабочки

На тополях понатужились и лопнули почки. Из каждой почки, как бабочка из куколки, вылупился зелёный листик.

Воробьи расселись по ветвям и стали склёвывать клейких зелёных бабочек. Угощаются; один глазок вверх – нет ли ястреба, другой вниз – не лезет ли кошка?

Драчуны

От сосулькиной воды и солнца, от жуков и мух, от свежих листиков воробьи ошалели. Драки тут и там! Схватятся на крыше двое – к ним мчит дюжина. Вцепятся друг в друга, трепыхаются, кричат и пернатой гирляндой валятся с крыши на головы прохожих.

Дерево песен

Вечером все воробьи – битые и небитые – слетаются на особое дерево – дерево песен. Дружным хором провожают они день. Так, песней, провожают они каждый день весны.

Прохожие с удовольствием слушают воробьиный хор, улыбаются.

Переполох

Чив и его подружка Чука сложили гнездо в щели под карнизом. Выстлали его перьями, волосом, ватой, сеном и тряпочками. А Чука принесла фантик и два трамвайных билета: розовый и голубой. Получилось очень уютно. Чив вспоминал свою дымовую трубу и жалел, что раньше не догадался познакомиться с Чукой.

И вдруг – скрип, скрип, скрип! В люльке к карнизу поднимался штукатур. Поднялся и лопаточкой своей стал заделывать под карнизом щели.

Что тут началось! Все воробьи к нему скачут! Скачут по самому краю крыши, на все голоса ругают штукатура. Но штукатур не понимает воробьиного языка: замазывает щели да от воробьёв лопаточкой отмахивается. А гнездо Чива и Чуки выбросил. Полетели по ветру перья, вата, волосы, сено и тряпочки. А фантик и билетики упали вниз.

Домик-люлька

Чив и Чука заняли скворечник. Ветер покачивал шест и вместе с шестом покачивал их новый домик. Чива укачивало, и он клевал носом. Чука не дремала: она опять наносила в гнездо перья, вату и сухие травинки. И опять принесла фантик и трамвайные билетики.

Выселение

Вернулись с Юга хозяева скворечника – серьёзные чёрные скворцы. Молча, деловито работая, они выбросили из скворечника сначала Чива и Чуку и наконец всё их гнездо. Опять полетели по ветру перья, вата, травинки, фантик и трамвайные билеты.

Лепестковая метель

Засвистывает метель. По улицам течёт белая позёмка яблоневых лепестков. А в тупичках вихри. Белые вихри из яблоневых лепестков.

Некогда!

Везде из-под застрех настырные голоса желторотых воробьят. Старые воробьихи – туда-сюда, вперёд-назад! Залетают в гнёзда, шарахаются назад.

Слышал Чива. Он сидел у старого гнезда – на заброшенной старой трубе. Сидел и чирикал не своим голосом. Потому что в клюве у него торчала гусеница, как папироса. И чирикал он не раскрывая рта, «сквозь зубы». Некогда!

Кончилась воробьиная весна. Хлопот полон рот!

Лесные шорохи

Сорока и Крот

– Хорошо, Крот, тебе под землёй! А у нас семь бед на день: то снег, то ветер, то заморозок.

– Это кому же хорошо – мне, что ли?

– Тебе, убогий! Под землёй – как под крышей.

– Это кто же под крышей – я, что ли?

– Ты, ты, а кто же! Тебе хорошо, ты под крышей!

– Так полезай ко мне, и тебе хорошо будет!

– Я? Под землю? Нет уж, лучше в лесу: семь бед – один ответ!

Сойка и Дятел

– Чжээ-чжээ! Кгха!

– Что с тобой, Сойка, жёлудем, что ли, подавилась? Чего хрипишь на весь лес?

– Обманули меня, Дятел, люди. Вот и верь им после этого! Яйца, говорят, полезно сырые пить, то да сё… Я целое лето птичьи гнёзда грабила, всё лето сырые яйца пила, а что толку? Как был голос противный, хрипучий, так и остался! Гха! Чжээ!

Лисица и Ёж

– Всем ты, Ёж, хорош и пригож, да вот колючки тебе не к лицу!

– А что, Лиса, я с колючками некрасивый, что ли?

– Да не то чтоб некрасивый...

– Может, я с колючками неуклюжий?

– Да не то чтоб неуклюжий!

– Ну так какой же я такой с колючками-то?!

– Да какой-то ты с ними, брат, несъедобный...

Грачонок и Жук

– Ну, Жук, прощайся с белым светом – сейчас я тебя съем! Скажи на прощанье, как хоть зовут-то тебя, бедолагу?

– Зовут меня, Грачонок, Жук-могильщик!

– Фу, гадость какая! От одного названия подавиться можно. А ну проваливай с глаз долой, не омрачай своей фамилией ясный день и моё весёлое настроение!

Лиса и Мышь

– Мышка-трусишка, ты треска боишься?

– Ни крошечки не боюсь.

– А громкого топота?

– Ни капельки не боюсь!
– А страшного рёва?
– Нисколечко не боюсь!
– А чего ж ты тогда боишься?
– Да тихого шороха...

Заяц и Медведь

– Белка на зиму грибы запасает, Бурундук – орехи. А ты, Медведь, всё без дела шатаешься. Вот засыплет снег землю, что лопать-то станешь?

– Ты, косой, за меня не волнуйся. Я, брат, самоед. Я зимой сам себя ем. На-ко пощупай, сколько сала под шкурой я припас – на всю зиму хватит. Я не зря по лесу шатаюсь, я сало коплю. Чего и тебе, косой, советую.

– Э-э, Медведь, какое там сало... Нам, зайцам, в лесу не до жиру, быть бы хоть живу!

Содержание

Как Медведя переворачивали 5
Бюро лесных услуг 8
Зимние долги 11
Медведь и Солнце 15
Лесные шорохи 16
Двое на одном бревне 20
Званый гость 22
Кому помочь? 26
Лежачий камень 28
Непослушные малыши 29
Лесные шорохи 32
Бежал Ёжик по дорожке 35
Федот, да не тот! 37
Дуб и Ветер 43
Крапивное счастье 44
Осень на пороге 45
Лесные шорохи 48
Друзья-товарищи 52
Швейня 56
Упрямый Зяблик 58
Почему ноябрь пегий? 60
Курорт «Сосулька» 62
Суд над Декабрём 64
Лесные шорохи 66
Воробьишкина весна 69
Лесные шорохи 76

УДК 821.161.1-34-93
ББК 84(2Рос=рус)6
С 47

Литературно-художественное издание

Для дошкольного возраста

Серия «ДЛЯ САМЫХ МАЛЕНЬКИХ»

СЛАДКОВ Николай Иванович

БЕЖАЛ ЁЖИК ПО ДОРОЖКЕ

Сказки

Ответственный редактор *А. Ю. Бирюкова*
Художественный редактор *Е. Р. Соколов*
Технический редактор *М. В. Гагарина*
Корректор *Т. С. Дмитриева*
Компьютерная вёрстка *Е. В. Куделина*

ISBN 978-5-389-04097-7

© Сладков Н.И., наследники, 2012
© Тржемецкий Б.В., иллюстрации, 2012
© Оформление. ООО «Издательская Группа «Азбука-Аттикус», 2012
Machaon®

Подписано в печать 29.10.2012.
Формат 84×108 $^{1}/_{16}$. Бумага офсетная.
Гарнитура «Pragmatica». Печать офсетная. Усл. печ. л. 8,4.
Тираж 6000 экз. D-AE-10431-01-R. Заказ № 4573.

80 с., с ил.

ООО «Издательская Группа «Азбука-Аттикус» —
обладатель товарного знака Machaon
119334, Москва, 5-й Донской проезд, д. 15, стр. 4
Тел. (495) 933-76-00, факс (495) 933-76-19
E-mail: sales@atticus-group.ru; info@azbooka-m.ru

Филиал ООО «Издательская Группа «Азбука-Аттикус» в г. Санкт-Петербурге
196105, Санкт-Петербург, ул. Решетникова, д. 15
Тел. (812) 324-61-49, 388-94-38, 327-04-56, 321-66-58, факс (812) 321-66-60
E-mail: trade@azbooka.spb.ru; atticus@azbooka.spb.ru

ЧП «Издательство «Махаон-Украина»
04073, Киев, Московский проспект, д. 6, 2-й этаж
Тел./факс (044) 490-99-01
e-mail: sale@machaon.kiev.ua

ЧП «Издательство «Махаон»
61070, Харьков, ул. Ак. Проскуры, д. 1
Тел. (057) 315-15-64, 315-25-81
e-mail: machaon@machaon.kharkov.ua

www.azbooka.ru; www.atticus-group.ru

Отпечатано в полном соответствии с качеством предоставленных
издательством материалов в ОАО «Тверской ордена Трудового Красного
Знамени полиграфкомбинат детской литературы им. 50-летия СССР».
170040, г. Тверь, проспект 50 лет Октября, 46.